Un grand merci à Catherine Michelet
de l'association Cheval sans frontières, Sarah Lassalle
de la Fédération française d'équitation et Valérie Vitrac,
pour leurs relectures patientes et attentives.
A.-S. B.

MIXTE
Papier issu de
sources responsables
FSC® C022030

Loi n°49-956 du 16 juillet 1949 sur les publications destinées
à la jeunesse, modifiée par la loi n°2011-525 du 17 mai 2011.
© 2009 Éditions NATHAN, SEJER, 25 avenue Pierre de Coubertin, 75013 Paris.
© 2014 Éditions NATHAN, SEJER, pour la présente édition
ISBN : 978-2-09-255181-3
Achevé d'imprimer en janvier 2014 par Pollina, Luçon, France - L67043
N° d'éditeur : 10199254
Dépôt légal : février 2014

QUESTIONS RÉPONSES !
4+

Chevaux et poneys

Texte d'**Anne-Sophie Baumann**
Illustrations de **Marcelle Geneste**

Nathan

Chevaux et poneys

Des chevaux broutent l'herbe du pré. Ils sont tous différents !
L'un est grand et musclé, un autre est petit et frisé. Les deux
derniers, plus fins, sont occupés à se gratter !

Des chevaux peuvent-ils être amis ?

Oui ! Dans la nature, les chevaux vivent en groupe. Ils jouent, ils s'appellent en hennissant et se font souvent des câlins.

Quelle est la différence entre un poney et un cheval ?

Le poney est un petit cheval : il fait moins de 1,48 mètre de haut, au garrot, c'est-à-dire au bas de la crinière.

Pourquoi les poneys sont-ils plus petits ?

Parce que leurs ancêtres vivaient dans des régions très froides, où il y avait peu d'herbe à manger.

Comment appelle-t-on ces chevaux ?

Le plus petit est un poney, le plus grand est un cheval de trait et les deux autres sont des chevaux légers.

Que font les moutons ici ?

Ils tiennent compagnie aux chevaux qui n'aiment pas être seuls.

C'est quoi, la robe d'un cheval ?

C'est la couleur de ses poils. Celle de ses crins (les poils de la queue et de la crinière) n'est pas toujours la même que celle du reste du corps. Chaque couleur a un nom.

noir

gris

palomino

isabelle

bai

pie

Cherche dans l'image !

un roitelet

un agneau

un tracteur

Cheval, qui es-tu ?

Lorsqu'on s'approche de lui, le cheval hennit et bouge les oreilles. Que veut-il dire ? Les chevaux ont un langage bien à eux !

Les chevaux sont-ils gentils ?

Chacun a son caractère et son éducation : certains sont plus calmes, plus nerveux ou plus câlins que d'autres.

les fesses

la croupe

le dos

le garrot

Pourquoi remue-t-il la queue ?

Pour chasser les mouches et les taons qui essaient de le piquer !

le ventre

la queue

les jambes

Ses poils sont-ils doux ?

Oui, surtout sous le ventre et au bout du museau ! Et, en hiver, le pelage est encore plus long, épais et touffu.

les sabots

Les chevaux peuvent-ils avoir les yeux bleus ?
Oui, mais c'est très rare : le plus souvent, leurs yeux sont marron ou noirs.

colure

la crinière

les oreilles

la tête

Pourquoi hennit-il ?
Pour dire « bonjour » ou « au revoir » à ses compagnons, pour demander à manger, appeler son bébé ou montrer qu'il n'est pas content.

Pourquoi les oreilles du cheval bougent-elles ?
Elles changent de position en fonction de son humeur !

Oreilles en avant : il est attentif.

Oreilles bien droites : il est tranquille.

Oreilles en arrière : il est inquiet ou en colère.

Les chevaux se battent-ils ?
Rarement, mais quand ils ont peur, qu'ils veulent montrer leur force ou qu'ils sont énervés, ils peuvent ruer, botter ou mordre. Si l'autre répond, c'est la bagarre !

Cherche dans l'image !

un campagnol

une coccinelle

un lièvre

Un poulain est né !

Le petit poulain a passé 11 mois dans le ventre de sa maman, la jument. Juste après sa naissance, il essaie de se mettre debout sur ses jambes toutes fines...

Le poulain boit-il du lait ?

Oui. Il tète l'une des deux mamelles de sa maman, mais quand ses dents pousseront, vers 1 an, il arrêtera de téter.

Comment la jument reconnaît-elle son petit ?

Elle le renifle et le lèche pour le nettoyer. Cela lui permet de reconnaître son odeur entre toutes !

Comment appelle-t-on le papa cheval ?

L'étalon ! Il est parfois dans un pré tout proche, mais c'est la maman qui s'occupe du petit.

Comment naît le poulain ?

La maman se couche pour que le petit poulain ne se fasse pas mal quand il sort, le museau et les jambes en avant !

Un cheval et un zèbre peuvent-ils faire un bébé ensemble ?

Oui ! Leur petit s'appelle un « zorse ». Un cheval peut aussi avoir un bébé avec une ânesse : c'est un bardot. Le petit d'une jument et d'un âne est une mule ou un mulet.

un zèbre

un zorse

un âne

un mulet

Comment le poulain apprend-il à marcher ?

Sa maman le soulève avec son museau pour l'aider à se lever. Il marche tout de suite et n'a qu'une idée : téter !

Cherche dans l'image !

une taupe

un écureuil

un coquelicot

11

Au poney-club

C'est l'heure du cours d'équitation ! Par petits groupes, les enfants apprennent à monter les chevaux, et aussi à s'en occuper. Quelle activité !

C'est quoi, un box ?
C'est une petite pièce, où le cheval est à l'abri du vent et de la pluie, tout près des pistes.

À quel âge peut-on monter à cheval ?
Les tout-petits peuvent monter sur le dos des poneys. Mais pour apprendre à diriger son cheval, il faut avoir au moins 6 ans.

Que fait cet homme ?
Il donne à manger aux chevaux et nettoie leurs box. Il balaie aussi les allées. C'est le palefrenier.

Qu'est-ce que c'est, une carrière ?

C'est une piste en plein air. Une piste couverte s'appelle un manège.

Comment les jeunes chevaux sont-ils dressés ?

On les habitue d'abord aux caresses et à la voix des hommes, puis, petit à petit, aux différents accessoires. Enfin, quand ils sont prêts, on leur met une selle pour porter un cavalier !

C'est quoi, le rodéo ?

C'est un concours où les cavaliers essaient de rester le plus longtemps assis sur des chevaux sauvages : c'est très difficile !

Qui est la monitrice ?

C'est elle qui apprend aux élèves à marcher, trotter, galoper, tourner et s'arrêter à cheval.

Cherche dans l'image !

un papillon

un ballot de paille

un chien

Le retour au box

Bonne nuit, joli cheval ! Après avoir pris un bon repas, le cheval s'endort dans son box. Un repos bien mérité après une journée de travail avec son cavalier.

Qu'est-ce que ce rouleau blanc ?

Un bloc de sel : le cheval aime le lécher. C'est bon pour sa santé car cela lui permet de garder de l'eau dans son corps.

Comment fait le cheval pour dormir debout ?

Il bloque ses genoux et s'endort droit sur ses jambes. Il lui arrive aussi de faire des petites siestes, allongé.

Que mange le cheval ?

De l'herbe fraîche ou sèche (le foin), mais aussi des fruits frais et des boulettes sèches de luzerne.

Pourquoi y a-t-il un lavabo ?
Car le cheval boit beaucoup. Parfois
il se sert lui-même de l'eau, en poussant
une pédale avec sa bouche.

Pourquoi met-on la main à plat quand on nourrit un cheval ?
Pour ne pas se faire croquer les doigts !
Le cheval a de grandes dents
et il pourrait confondre les petits
doigts avec des touffes d'herbe.

Pourquoi les chevaux se roulent-ils dans la terre ?
C'est une façon pour eux de se gratter
et de se laver. Il leur arrive aussi
de se baigner dans les rivières.

À quoi sert la paille ?
À tenir chaud au cheval
qui s'y allonge comme sur un lit.
Il la grignote aussi !

Cherche dans l'image !

un chat

une hirondelle

un quartier
de pomme

Aux petits soins

Au début du cours d'équitation, les enfants nettoient leurs poneys, puis leur enfilent tout l'équipement pour pouvoir les monter.

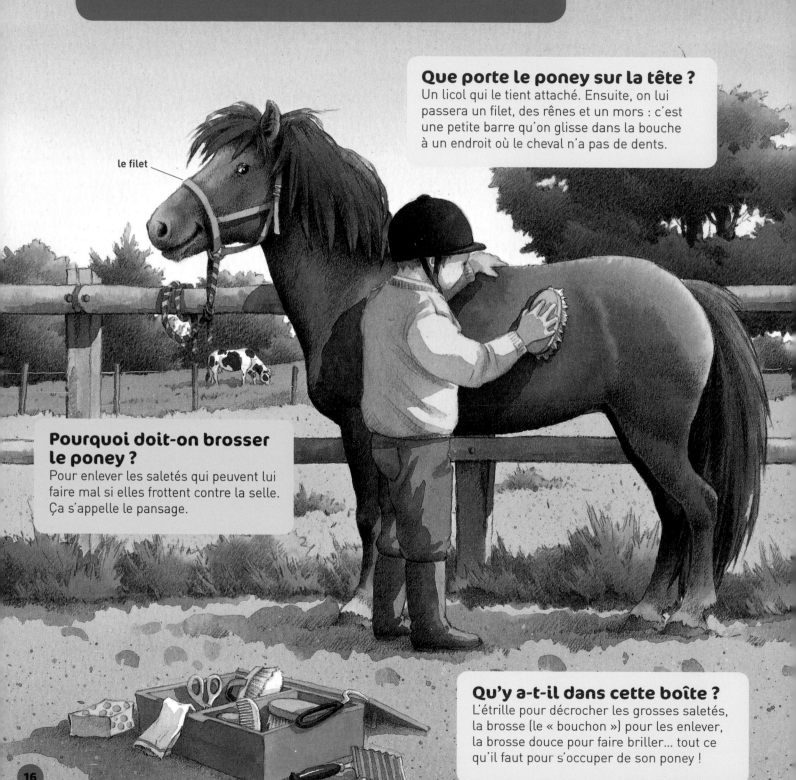

Que porte le poney sur la tête ?
Un licol qui le tient attaché. Ensuite, on lui passera un filet, des rênes et un mors : c'est une petite barre qu'on glisse dans la bouche à un endroit où le cheval n'a pas de dents.

le filet

Pourquoi doit-on brosser le poney ?
Pour enlever les saletés qui peuvent lui faire mal si elles frottent contre la selle. Ça s'appelle le pansage.

Qu'y a-t-il dans cette boîte ?
L'étrille pour décrocher les grosses saletés, la brosse (le « bouchon ») pour les enlever, la brosse douce pour faire briller... tout ce qu'il faut pour s'occuper de son poney !

Pourquoi met-on un tapis sous la selle du poney ?

Pour éviter que la selle frotte contre son dos : cela pourrait lui faire mal.

les rênes et le mors

l'étrier

Pourquoi ne faut-il pas passer derrière un cheval ?

Quand il ne voit pas bien ce qui se passe derrière lui, il est inquiet : il peut alors donner un grand coup de sabot pour se défendre.

Peut-on coiffer un cheval ?

Oui, on peut le peigner ou couper ses crins. On peut aussi tresser ses poils pour un spectacle, mais alors le cheval ne pourra plus chasser les mouches avec !

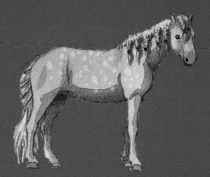

Comment nettoie-t-on les sabots d'un cheval ?

Avec un cure-pied. Ce crochet permet de retirer les petits cailloux coincés dans le creux du sabot. C'est important pour qu'il n'ait pas mal aux pieds.

Cherche dans l'image !

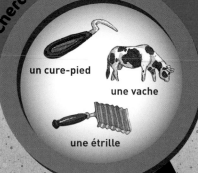

un cure-pied

une vache

une étrille

Un tour de manège

Les cavaliers conduisent leurs poneys au manège. Hop !
ils montent en selle et prennent leurs rênes en mains :
au pas, au trot et, peut-être un jour... au galop !

C'est quoi, une bombe ?
C'est une sorte de casque qu'on porte
pour se protéger la tête en cas de chute.

**Pourquoi y a-t-il
du sable sur le sol ?**
Parce que c'est doux pour les sabots
des chevaux et pour les cavaliers
s'ils tombent.

**Pourquoi les cavaliers
portent-ils des bottes ?**
Pour ne pas se faire mal aux mollets qui
frottent contre les lanières des étriers,
et aussi pour pouvoir marcher dans la boue.

Comment fait-on tourner son poney ?

On écarte la rêne droite ou la rêne gauche. Et pour faire avancer le poney, on le presse avec des petits coups de mollet.

Qu'est-ce que le trot ?

C'est une allure moins rapide que le galop. Pour ne pas être trop secoué, il faut se lever en suivant le rythme du cheval et en s'appuyant sur les étriers.

Les chevaux sautent-ils haut ?

Oui. Lancés au galop, ils peuvent passer par-dessus les flaques d'eau, les buissons et même les barrières.

À quoi sert la cravache ?

Cette baguette souple permet d'encourager le poney pour qu'il avance plus vite ou de le rappeler à l'ordre quand il n'obéit pas.

Cherche dans l'image !

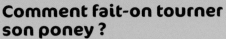

une bombe

un cône

du crottin

En promenade !

C'est le grand jour ! Narines ouvertes au vent du large, oreilles attentives, les poneys marchent sur le sable. Mettront-ils leurs sabots dans l'eau ?

Les poneys aiment-ils se promener ?
Oui. Ils aiment courir dans la nature, même avec un cavalier sur leurs dos !

Comment empêcher un poney de manger de l'herbe ?
Il faut tirer sur une des rênes par petits coups, pour qu'il relève la tête et continue d'avancer.

Pourquoi ne faut-il pas trop s'approcher du poney de devant ?
Parce qu'il risque d'avoir peur et de donner un coup de sabot.

Le poney comprend-il ce qu'on lui dit ?

C'est un animal sensible : il reconnaît des gestes, le ton de la voix et certains mots.

Existe-t-il des chevaux en liberté ?

Oui, mais de moins en moins. Certains, comme les chevaux mongols d'Asie, vivent encore en troupeaux presque sauvages. Un mâle dominant est entouré d'autres mâles, de femelles et de leurs petits.

Pourquoi met-on des œillères aux chevaux ?

Pour qu'ils ne soient pas attirés ou effrayés par ce qu'ils croisent sur leur route.

Les chevaux savent-ils nager ?

Oui ! Ils peuvent traverser une rivière à la nage, mais ils préfèrent rester sur la terre ferme !

Cherche dans l'image !

un huîtrier-pie

un crabe

une mouette

Le maréchal-ferrant

Qui est cet homme en tablier de cuir qui plie le genou
du cheval et observe ses sabots ? C'est le maréchal-ferrant !
Il sait très bien se faire obéir pour que le cheval ne bouge pas.

**Quel est le travail
du maréchal-ferrant ?**
Il s'occupe des sabots : il coupe
leur corne, les lime et y pose les fers.

Est-ce que le cheval a mal ?
Non : la corne du sabot est très épaisse.
Le cheval est juste secoué par les petits
chocs du marteau.

**Quels sont les outils
du maréchal-ferrant ?**
Une pince pour couper le sabot,
une lime et un marteau pour fixer
le fer avec des clous.

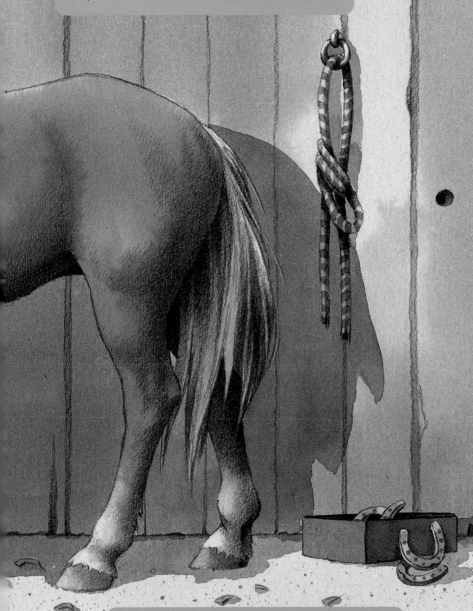

Pourquoi met-on des fers sur les sabots ?

Pour protéger les sabots. Sinon, ils s'useraient trop vite sur les cailloux des chemins.

Comment est fait le sabot ?

C'est de la corne épaisse et dure qui pousse tout le temps, comme un ongle, mais avec une partie très sensible au-dessous.

Y a-t-il différentes tailles de fers ?

Oui, car chaque sabot est différent : il faut donc des fers de plusieurs tailles, comme pour les chaussures !

Le cheval garde-t-il les mêmes fers toute sa vie ?

Non. Les fers s'usent et le sabot qui pousse au-dessous doit être coupé. On leur pose de nouveaux fers environ tous les mois !

Cherche dans l'image !

un fer usagé

une pince

un marteau

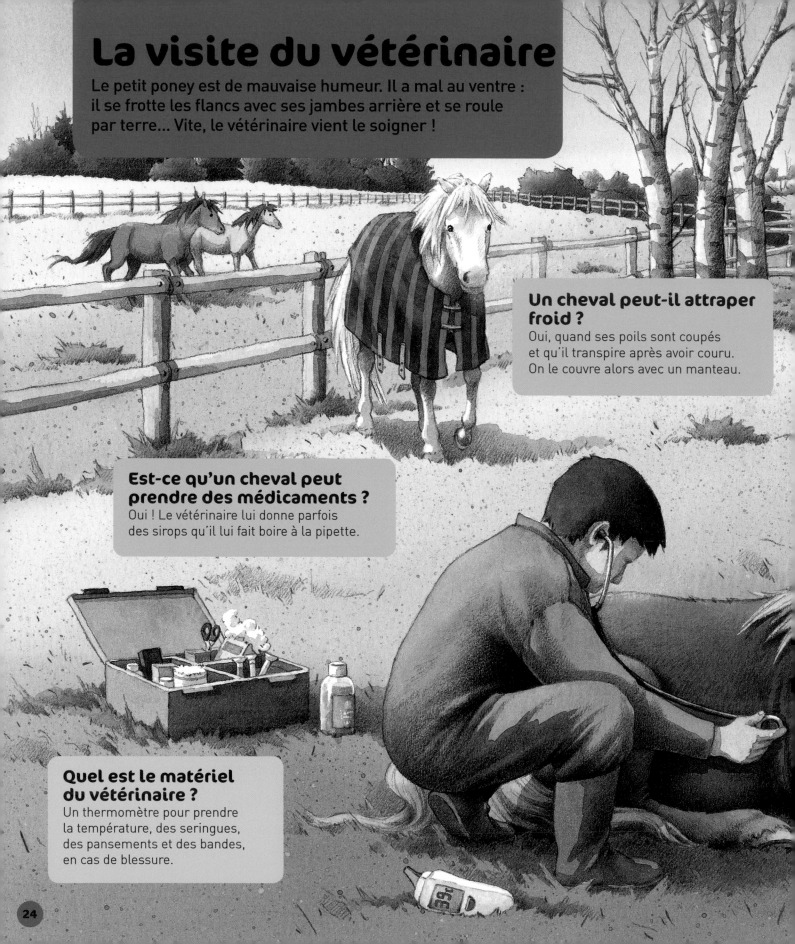

La visite du vétérinaire

Le petit poney est de mauvaise humeur. Il a mal au ventre : il se frotte les flancs avec ses jambes arrière et se roule par terre... Vite, le vétérinaire vient le soigner !

Un cheval peut-il attraper froid ?
Oui, quand ses poils sont coupés et qu'il transpire après avoir couru. On le couvre alors avec un manteau.

Est-ce qu'un cheval peut prendre des médicaments ?
Oui ! Le vétérinaire lui donne parfois des sirops qu'il lui fait boire à la pipette.

Quel est le matériel du vétérinaire ?
Un thermomètre pour prendre la température, des seringues, des pansements et des bandes, en cas de blessure.

Les chevaux ont-ils de bonnes dents ?

Oui. Les dents de devant servent à arracher l'herbe et celles de derrière à la mâcher. Entre les deux, il n'y en a pas !

Les vétérinaires s'occupent-ils d'autres animaux ?

Oui. En général, un vétérinaire sait soigner tous les animaux : ceux de la campagne, comme ceux de la maison.

Y a-t-il des dentistes pour chevaux ?

Oui, ils leur liment les dents quand elles sont trop pointues et qu'elles les gênent pour manger.

Quand appelle-t-on le vétérinaire ?

Pour faire les vaccins, lorsqu'un cheval est très malade ou qu'une jument a du mal à mettre au monde son petit.

Cherche dans l'image !

une oie   une bouteille de sirop

un thermomètre

Sur la piste aux étoiles

Que le spectacle commence ! Les chevaux se lancent au galop sur la piste du cirque et les cavaliers sont prêts à faire leurs numéros...

Pourquoi la piste est-elle ronde ?

Pour que les chevaux puissent galoper sans avoir à ralentir.

Que fait cette femme assise sur le côté ?

Elle est montée en amazone, comme les femmes d'autrefois qui ne portaient que des robes et qui ne pouvaient monter autrement à cheval.

Comment tient-on debout sur le cheval ?

Le voltigeur enfile des chaussons pour ne pas déraper et se cale bien sur la croupe, en suivant le mouvement du cheval.

Y avait-il des spectacles de chevaux autrefois ?

Oui. Au temps des Romains, on organisait des courses de chars tirés par des chevaux. Ces spectacles avaient lieu dans un grand stade, appelé « cirque ».

Les chevaux savent-ils danser ?

Dans certains spectacles, les cavaliers font marcher leurs chevaux de côté, en reculant, en se penchant... On dirait qu'ils dansent ! Ils sont surtout très bien dressés...

Comment ce cheval a-t-il appris à tenir debout ?

Il a passé beaucoup de temps à s'entraîner : maintenant, il suffit au dresseur de le frôler avec la lanière de sa chambrière pour qu'il se cabre !

Cherche dans l'image !

une plume

un podium

un clown

Le sais-tu ?

Les chevaux existent-ils depuis longtemps ?

Oui : les ancêtres des chevaux n'étaient pas plus hauts que des chiens. Les premiers chevaux sont ensuite apparus : les hommes préhistoriques les ont peints sur les parois des grottes. Le cheval de Prjevalski, de la race la plus ancienne, vit aujourd'hui encore en Mongolie.

Pourquoi les Indiens aimaient-ils tant leurs chevaux ?

Certains Indiens d'Amérique, comme les Sioux et les Apaches, vivaient avec leurs chevaux. Ils s'en servaient pour la chasse aux bisons et pour transporter leurs tentes, les tipis.

À quoi servaient les chevaux autrefois ?

Il y a très longtemps, les hommes ont commencé par chasser les chevaux pour les manger. Puis ils les ont attrapés et élevés pour utiliser leur force et monter sur leurs dos. Les chevaux étaient utilisés pour...

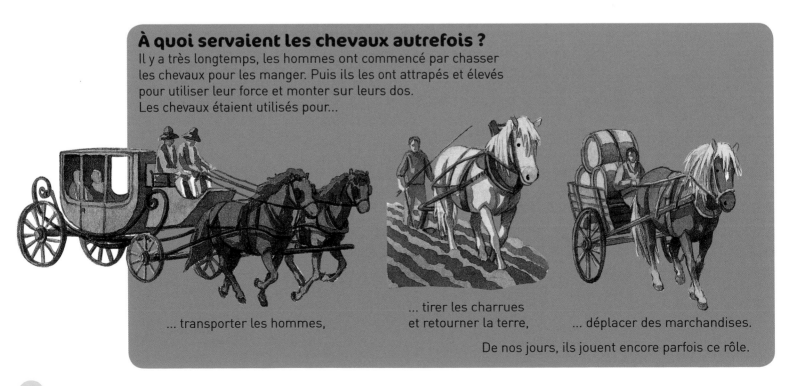

... transporter les hommes,

... tirer les charrues et retourner la terre,

... déplacer des marchandises.

De nos jours, ils jouent encore parfois ce rôle.

Qui sont les chevaliers ?

Ce sont les soldats à cheval qui vivaient au Moyen Âge. Au cours de tournois, ils s'affrontaient devant des spectateurs. Leurs chevaux étaient protégés par des armures de métal.

Quel est le plus petit poney ? Et le plus grand cheval ?

Le plus petit cheval est un poney de la race Falabella. Il n'est pas plus haut qu'un chien de berger ! Le plus grand cheval s'appelait Tina. De race Shire, elle mesurait plus de 2 mètres au garrot et pesait autant qu'un jeune éléphant !

Quelle est la vitesse d'un cheval au galop ?

Au triple galop, un cheval de course peut atteindre la vitesse de 60 km/heure.